Ce livre appartient à

Les Éditions
Coup d'œil

Infographie : Marjolaine Pageau
Traduction : Laurence Taillebois
Illustrations : Gail Yerrill
Textes : Jo Lacey

Imprimé en Chine

ISBN : 978-2-89768-093-0

Un ami pour une souris

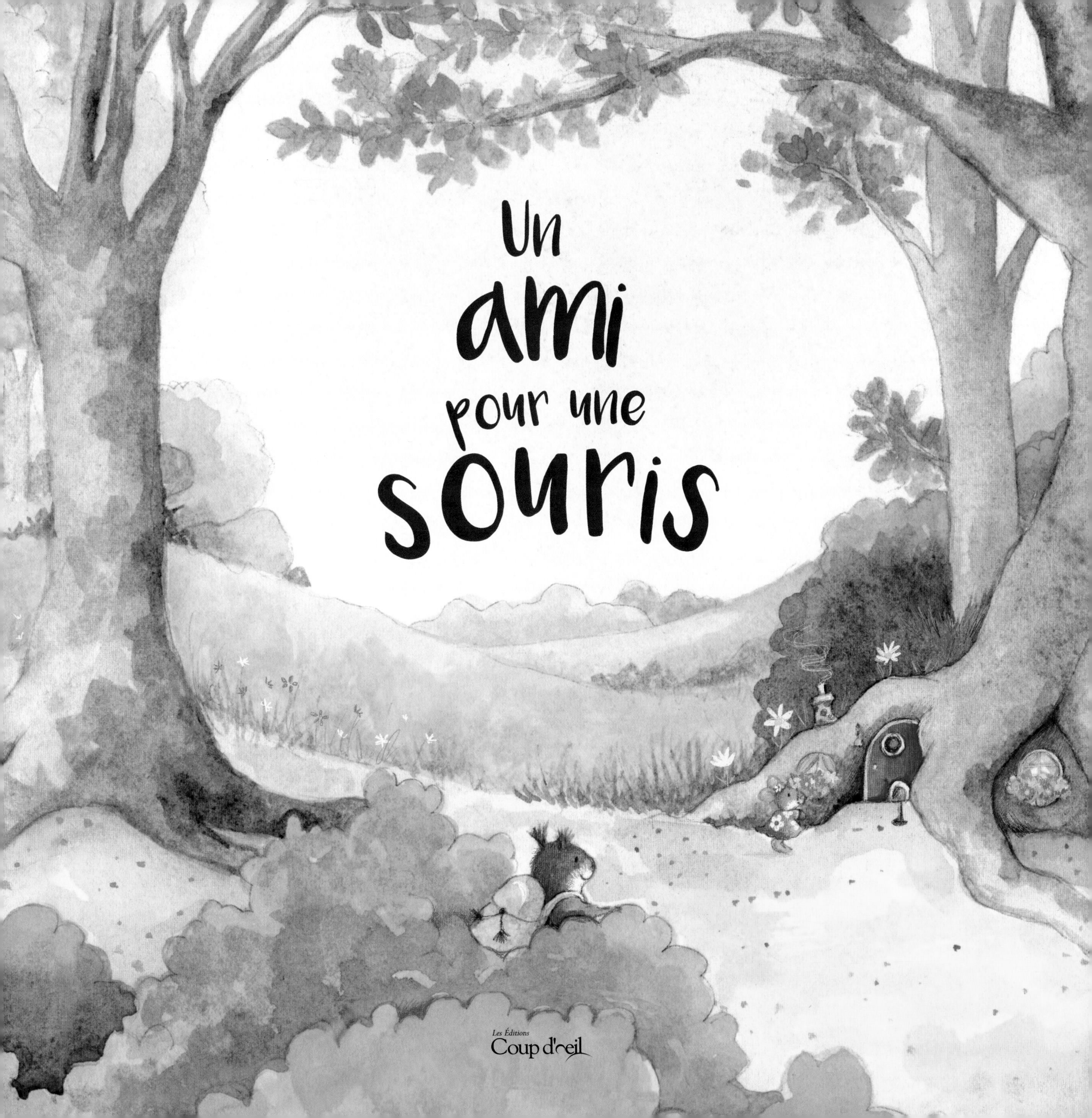

Les Éditions
Coup d'œil

Voici Sybille la souris,
et ceci est son nouveau logis.
Celui-ci se trouve au creux de la racine
d'un chêne très vieux.

Approche pour voir
un peu mieux...

Sybille a un minuscule lit en haut des escaliers,
une petite table et de mignonnes chaises naines.
Elle est bien installée, mais Sybille a de la peine.

Sybille, pourquoi es-tu si **déprimée**?

Sybille répond: «Personne ne vient me rendre visite.
Je crois que c'est parce que je suis trop petite.»

Plic,

ploc!

Oh, misère!
Est-ce une larme,
par terre?

Soudain, BOUM,

BOUM,

BOUM !

Qui est là, qui vient?
«Un visiteur! s'exclame Sybille.
Enfin!»

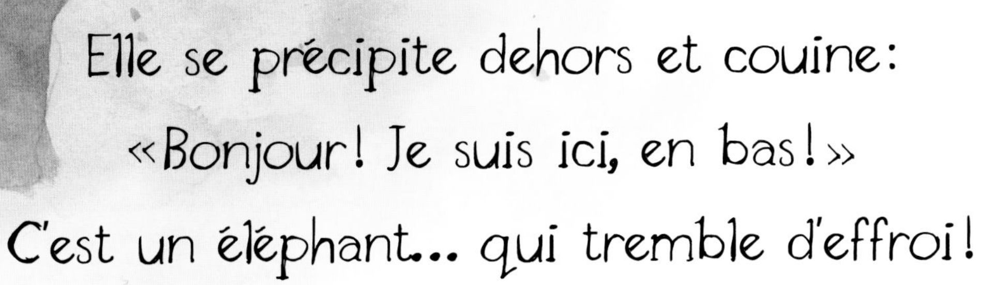

Elle se précipite dehors et couine:
«Bonjour! Je suis ici, en bas!»
C'est un éléphant... qui tremble d'effroi!

«Horreur! Une souris! crie l'éléphant.
Ne t'approche pas de moi!»

Sybille avance à tout petits pas.
Un, deux, trois!

Terrifié, l'éléphant BARRIT!
Puis, sans demander son reste, il s'enfuit.
«Reviens! lui crie Sybille, découragée.
Je veux seulement jouer.»

« N'aie pas peur, lui dit Sybille. Allez, parle-moi.
Je suis très gentille. Descends et tu verras ! »

« Tu vas me chatouiller la trompe, geint l'éléphant.
Tu vas courir sur moi, et même sur ma tête.

Tu iras partout et ça va me gratouiller
jusqu'à ce que tu arrêtes.»

Sybille attend tranquillement.

Elle réfléchit pendant un moment.

À quoi penses-tu, petite souris?

Pourquoi souris-tu ainsi?

«Je te fais une proposition, dit-elle à l'éléphant.

Accompagne-moi et je ne grimperai pas sur ta trompe. Parole de souris des champs!»

« Hum... eh bien, d'accord », accepte l'éléphant. Il suit Sybille, hésitant et suspicieux.

Puis, Sybille lui fait goûter ses petits gâteaux, qui sont tout simplement **délicieux** !

Elle lui fait des brioches à la crème, des tartes à la courge et du pain frais.

« Miam ! »

se régale l'éléphant en lâchant
un soupir satisfait.

L'éléphant lui dit:
« Allons nous amuser ! »
Ils se mettent alors à bondir et à glisser...
... à courir et à sautiller.

Ils essaient de s'attraper la queue,

font la course et jouent à la **cachette.**

Ils se pourchassent, **rigolent**
et font des **galipettes.**

«Grimpe sur ma tompe, lance l'éléphant.
Nous allons nous promener.»
Une fois Sybille bien installée,
il se met à balancer sa trompe
de tous les côtés.

L'éléphant défile fièrement sur le sentier.
Il claironne : « Ho, hé !
J'ai une souris sur le dos, regardez ! »

« Youpi ! » s'exclame Sybille
en voyant les animaux tout autour.
Elle secoue ses moustaches
et couine « Bonjour ! »

Sybille est si heureuse de s'être fait un ami.

« Allez, lui dit l'éléphant,

C'est l'heure de te ramener

dans ton petit nid. »

«Merci, lui chuchote Sybille en tirant
sur son oreille de sa petite main.
Si je n'étais pas si petite,
je te ferais bien un câlin.»

Sybille, comme tu dois être heureuse !
Tu as maintenant un nouvel ami.

«Oh oui, se réjouit Sybille,
et il est de bonne compagnie !»